Дорогие взрослые, мамы, папы, бабушки и дедушки!

С помощью нашего букваря любой двухлетний малыш прочитает свои первые слова и предложения через **несколько секунд** после начала занятия. Если вы готовы учить ребёнка читать с двух лет, а он уже научился произносить свои первые слова и тянется к книге — этот букварь для вас! Современного ребёнка не нужно несколько лет учить буквам и только потом — чтению слов и предложений, как это делали до сих пор. Мы разработали для вас эффективную методику, которая поможет вам научить ребёнка читать и гарантирует вам обоим море удовольствия!

Для малыша очень важно, чтобы что-то получилось у него сразу, в первые же секунды занятия: сложить кубики один на другой, собрать пирамидку, раздеть куклу, закатить машинку в гараж. Если что-то не получается, то после двух-трёх попыток ребёнок бросает это занятие. Так же и с чтением. Если прочитать не получилось сразу, малыш теряет интерес. Поэтому **все слова** в нашем букваре состоят **только из одной или двух букв**. С первой страницы ребёнок читает **предложения и даже диалоги**. Малыш, как большой, сразу сможет прочитать то, что написано под яркой забавной картинкой. **Именно прочитать**, а не поиграть, будто он читает.

Если вашему ребёнку уже 4 или 5 лет и он не знает буквы — букварь поможет и ему. Если двухлетние малыши пройдут букварь за полгода-год, то более взрослому ребёнку понадобится всего два-три месяца, а после этого он с удовольствием возьмётся за букварь для дошкольников, так как наша весёлая книжка привьёт ему интерес и любовь к чтению.

Ваши Ольга Узорова и Елена Нефёдова

Порядок прохождения букв в букваре:

Как заниматься по букварю

Астры

1. Рассмотрите вместе с малышом иллюстрацию к букве. Оглядитесь вокруг и найдите ещё предметы, в названии которых встречается эта буква.

2. Рассмотрите вместе слово для чтения и иллюстрацию к нему.
Слово сначала прочитайте сами, потом пусть прочтёт ребёнок.

3. Обязательно выделяйте голосом восклицательные и вопросительные предложения. Учите этому своего малыша.

4. Внимание! Крупные чёрные буквы предназначены для чтения ребёнком. Мелкие серые читает взрослый. Так, здесь ребёнок читает только букву У, а остальное — взрослый.

5. Очень возможно, что двухлетнему малышу предлоги, местоимения и сюжеты некоторых картинок будут непонятны. Это не страшно! Рассматривайте картинки вместе, обсуждайте ситуации, изображённые на них, сами чётко произносите подписи к картинкам.
Если у малыша не получилось прочитать слово, прочитайте его сами, затем вместе с ребёнком — и переходите к следующему. Подбадривайте и хвалите своего маленького ученика независимо от его успехов.

6. В день изучайте не более 1–2 страниц. Ребёнок ни в коем случае не должен устать от чтения!

Самое главное!

Обязательно хвалите малыша за каждую прочитанную букву! Для вашего малыша составить непонятные для него закорючки в слово — это огромная работа мозга!

М З Б Д Я Г Ч Ж Х Ё Ю Ш Щ Э Ц Ф

7. Первые страницы букваря занимают слова и предложения, состоящие только из гласных: А, О, И, Ы, У. Потом идёт первая согласная буква: Н. Как читать слова с согласной? Слово ОН ребёнок читает так: сначала долго тянет гласную ооооо, а потом приставляет букву Н. Получается ОН.

8. Сложнее для ребёнка, когда первый звук — согласный. Его тянуть труднее, но тоже нужно. Ребёнок читает-тянет нннннн и потом приставляет А, У или О. За такие слова хвалите малыша ещё больше!

9. В букваре есть страницы на повторение, чтобы вы и ваш малыш поняли, какие буквы он уже хорошо знает, а какие ещё надо повторить.

Эти страницы специально даны без картинок, чтобы не отвлекать малыша от чтения. И слова на них повторяются по нескольку раз не случайно: обучение чтению всегда идёт по спирали.

Если вы видите, что ребёнок читает меньше половины предложенных на повторение слов — вернитесь к пройденным страничкам и пересмотрите, перечитайте их ещё раз.

Если двухлетние малыши совсем не справятся с этими страничками — и это не страшно. Идите по книжке дальше. Потом, при втором, третьем повторении, немного повзрослев, он непременно их прочтёт.

Не бойтесь возвращаться к пройденному! Повторение — мать учения.

10. В первый месяц занимайтесь не чаще 3–4 раз в неделю. И не подряд, а через день. Со второго месяца, по желанию ребёнка, можно заниматься почти каждый день.

11. Рассматривайте картинки, обсуждайте игровые ситуации, изображённые на этих картинках, и составляйте по ним истории.
Общайтесь и разговаривайте с ребёнком как можно больше — это поможет ему развить связную речь и мышление.

Удачи вам и вашему малышу в открытии такого чудесного, интересного и огромного мира — мира книг!

Аа

Астры

А?

А!

Aa

A-a!

A-a.

A-a?

A-a-a!

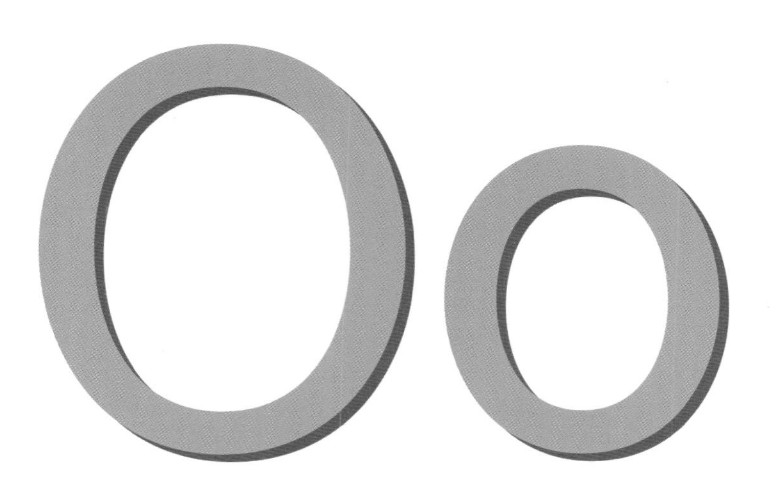

Ослик

О.

О!

O-o.

O-o-o!

O-o!

Иглы

И?

И-и.

И-и-и!

И-и-и?

А теперь повторим!

И?

А-а!

Ыы

Рыба

Ы-ы-ы!

А-а-а!

О-о!

Ы-ы-ы!

И?

И-и!

А?

О-о-о!

Уж

У мальчика мяч.

У девочки кукла.

У бабушки пирог.

У-у-у.

У-у-у!

У-у-у!

Иа! Иа!

Уа! Уа!

— Ау!
— Ау!

Ау!

А?

Уа!

О?

И?

Иа!

О!

У-у-у!

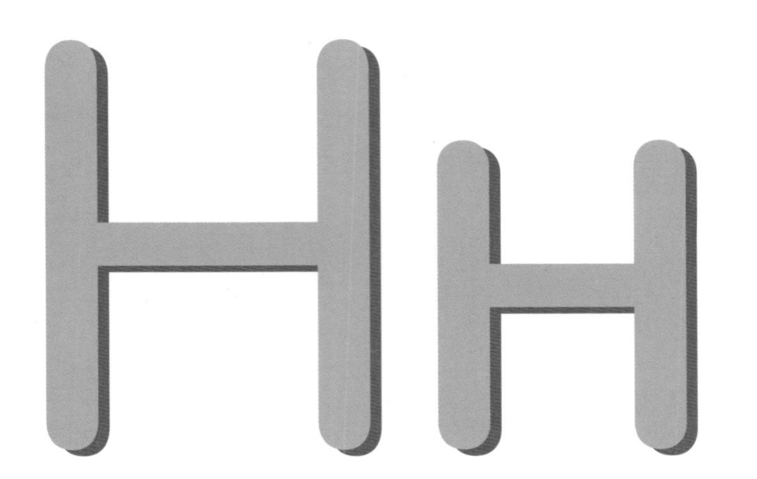

Ножницы

Он?

Он!

Na!

На столе чашка.

Но!

Ну!

О! Он.

Но! А?

Ау! Уа!

На!

А-а!

И?

О?

Иа!

и

у

на

Солнце

Корова **с** телёнком.

Ас?

Много **ос.**

Ус?

Ас!

Ус.

Ус!

Си.

А у дедушки ус.

А папа ас?

Кошка

Мальчик идёт **К** дому.

Ко-ко-ко!

Ку-ку!

Ку-ку! Он!

Ау! Но? Ус.

А-а? А-а! Уа!

И? На! О?

Иа! и у

Он! на А ас?

Ко-ко-ко!

О! С-с-с.

Такса

Косточка **от** арбуза.

Ты и ты.

Он и ты.

Видишь ос?

Ты боишься ос?

Ты и он.

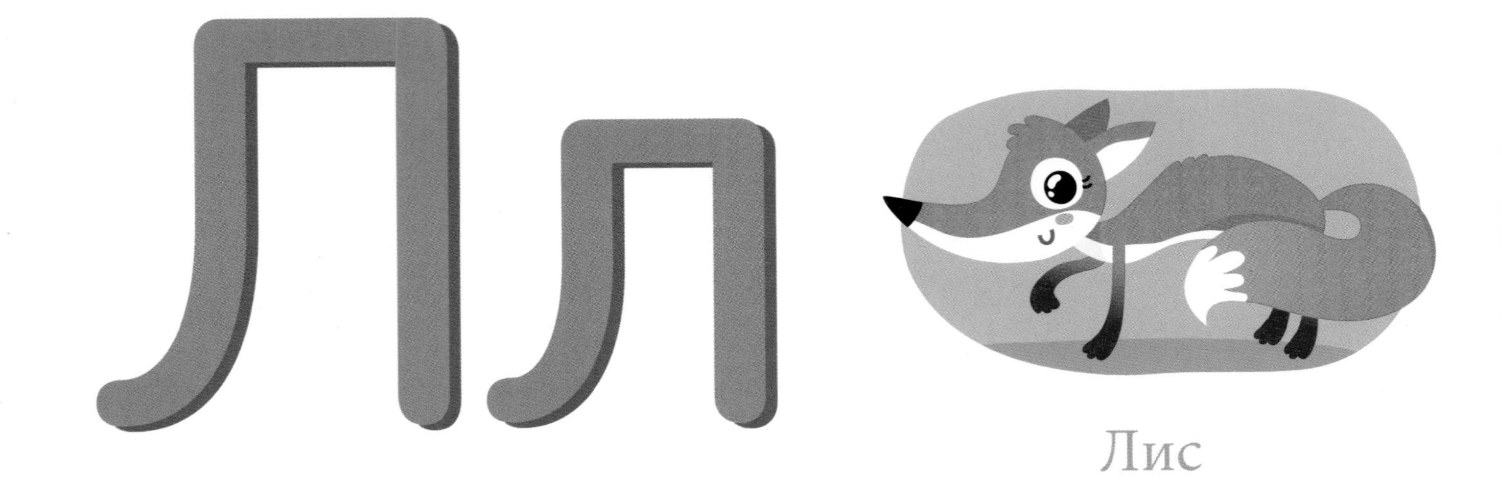

Лис

Ла-ла-ла!

Рр
Роза
Ру-ру-ру.
Уррр.

Уррр. Он?

от Ау!

О! Ку-ку!

Ус. И? Ла-ла-ла.

О? А-а? На!

Ко-ко-ко! А-а! Иа!

Ру-ру-ру. Ты! Ас.

Но! Он и ты. Уа!

Вв

Волк

Ав!

Ав?

Вы.

П п
Пальма
Ап!
Па!

Йог

Ой!

Ай!

Ой! Вы?

Ой! Ты?

Ай! Вы!

Ай! Ты!

Ели

Дать **ей** молока.

Ел.

Те дома.

не

— Ей!

— Ей?

Ам!

Ум.

Ма!

Ми.

Му-у-у.

Мы!

Мы?

Им?

Им!

Он и мы!

Он и мы?

Ми-ми-ми.

Мы и он.

Мы и он?

Мы и он!

Ей и им.

Ей и им?

Ей и им!

Им.

Мм

Ем! Уррр. Им!

Он? Ус. А-а?

Ау!

Уа! О! Ку-ку!

Но! Ла-ла-ла! О-о?

Ей и им! И-и? Мы?

На! А-а! Иа!

Ты! Ко-ко-ко! Ма!

Им? Ру-ру-ру! Ас.

Мы и он!

Зз

Зонт

Зззз...

Вылетают **ИЗ** коробки.

Зз

за

из-за

Он **за** креслом.

Выходит **из** дома.

Бб

Барабан

Бе-бе-бе.

Ударился **об** угол.

Ба!

Бу-бу-бу.

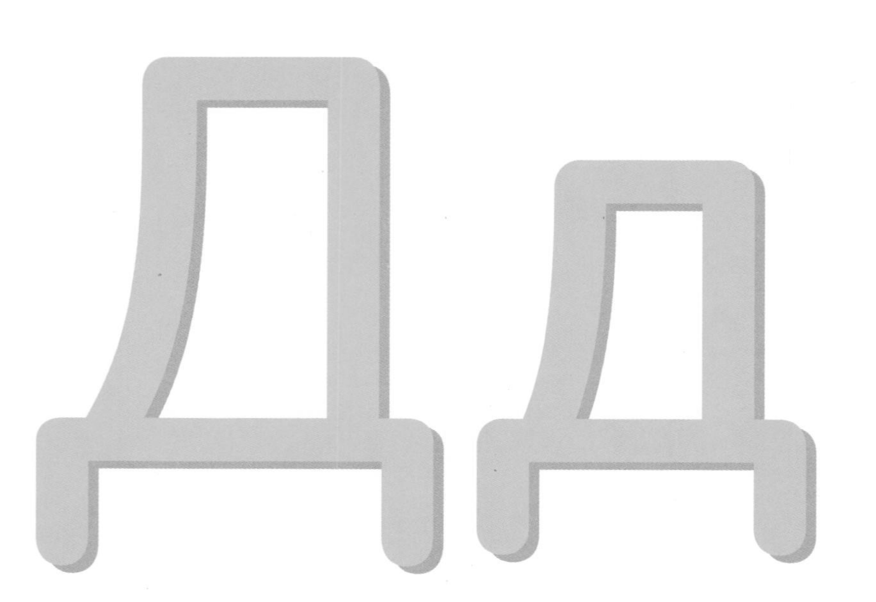

Доктор

Ду-ду-ду.

Да?

Да.

Да!

До свидания.

До.

— Ой! Ты?
— Да!

— Он и мы?
— Да!

— Ой! Вы?
— Да!

— Ил?
— Да.

— Ел?
— Да!

О-о! Да! Ем! Ой!

А-а? Уррр. Им!

Но! Иа. Ус.

Бу-бу-бу. Он? Ел?

Ау! Уа! О!

Ку-ку! Мы и он. А?

И-и? Ла-ла-ла!

Ей и им!

Я я

Яблоко

Я!

Я?

Я.

Я и он!

Я за домом. Он за деревом.

Я ей помогаю.

Я ем.

— Ты?
— Я!

Як.

Як?

Як!

Ля-ля-ля!

Много **ям.**

Ля.

Ян.

Я Ян.

— Ты Ян?
— Да!

— Он Ян?
— Да!

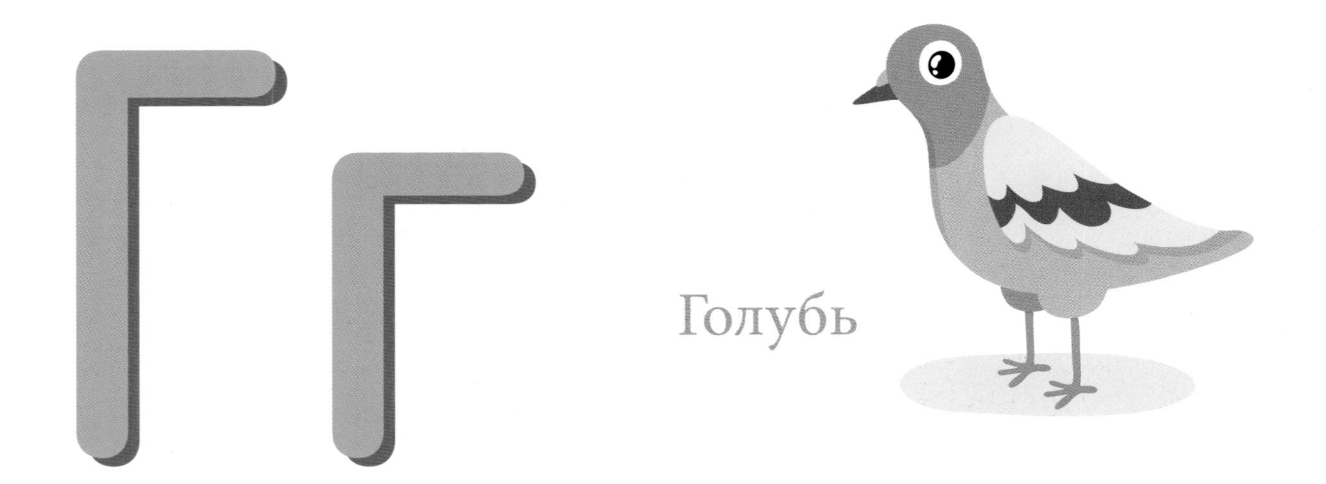

Га-га-га!

— Му-у-у!
— Га-га-га!
— Иа-иа-иа!

— Ко-ко-ко!
— Га-га-га!
— Ку-ку!

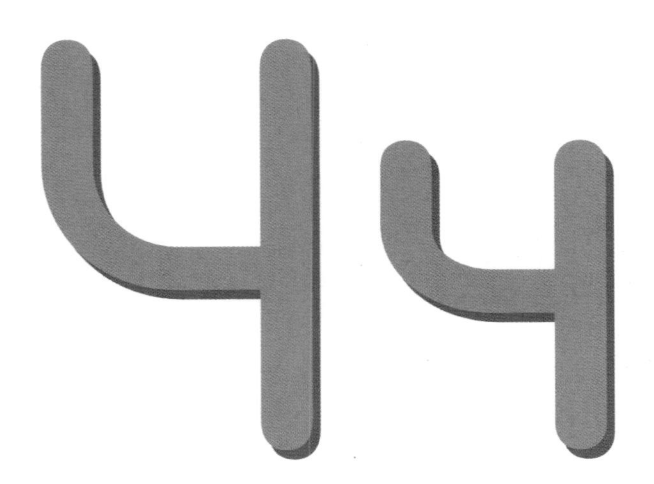

Чайник

Чччч.

Чу!

Чу-чу-чу.

Ча-ча-ча.

Жу-жу-жу.

Уж.

Ой! Уж!

Хорёк

Ах!

Ох!

Хх

Ух!

Ха-ха!

Ёж

— Ах! Ёж!

— О-о-о!
Ёж и уж!

Да? Бу-бу-бу. Мы?

На! А-а! Иа! До.

Ты! Ко-ко-ко? Да.

Ма! Им? Ру-ру-ру!

О-о? Уррр. Я и он!

Им! О! Жу-жу-жу.

Ау! Ух! Он?

Уа! Ус. Бу-бу-бу.

И я? Уж и ёж.

Ча-ча-ча! Му-у-у!

Ко-ко-ко? Га-га-га!

Чччч. И я! Ку-ку!

Я! Я? Я. Я и он?

Он и я. Ма! Да!

А-а? Ем! Ах!

Мы и он.

Ля-ля-ля! Ей и им!

И-и? Да? Бу-бу-бу.

Мы? На! А-а!

Иа! Ты! Им? Да.

Юю

Юбка

Юг.

Юн.

Я на юг.

Он юн.

Я юн.

О! Юг!

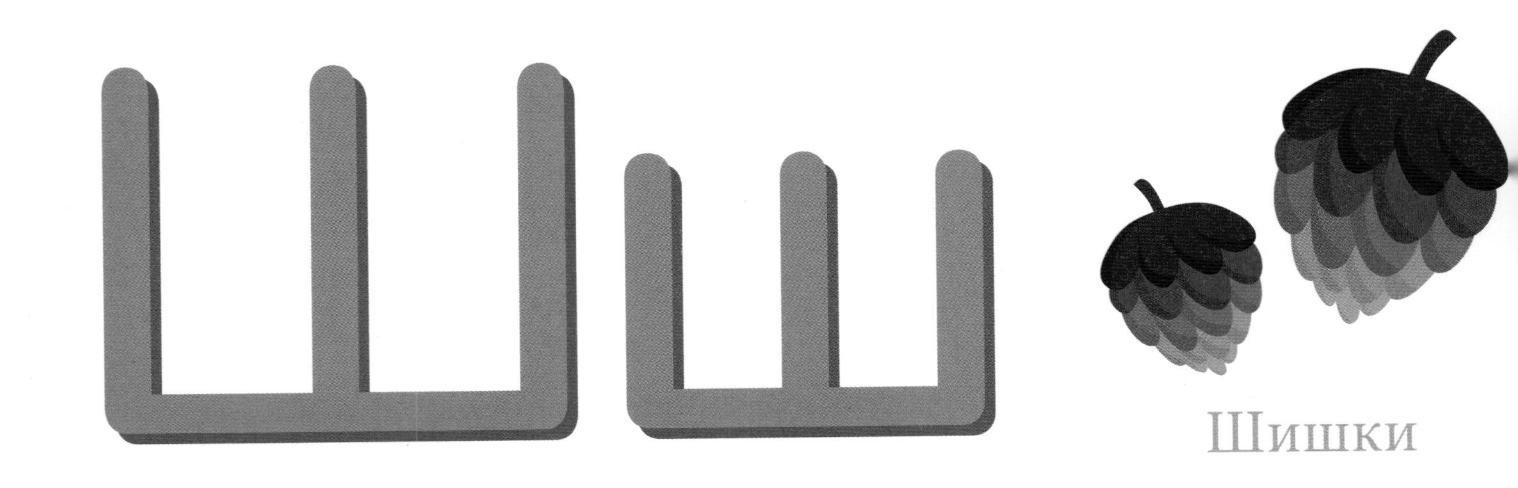

Шшшш.

Шу-шу-шу.

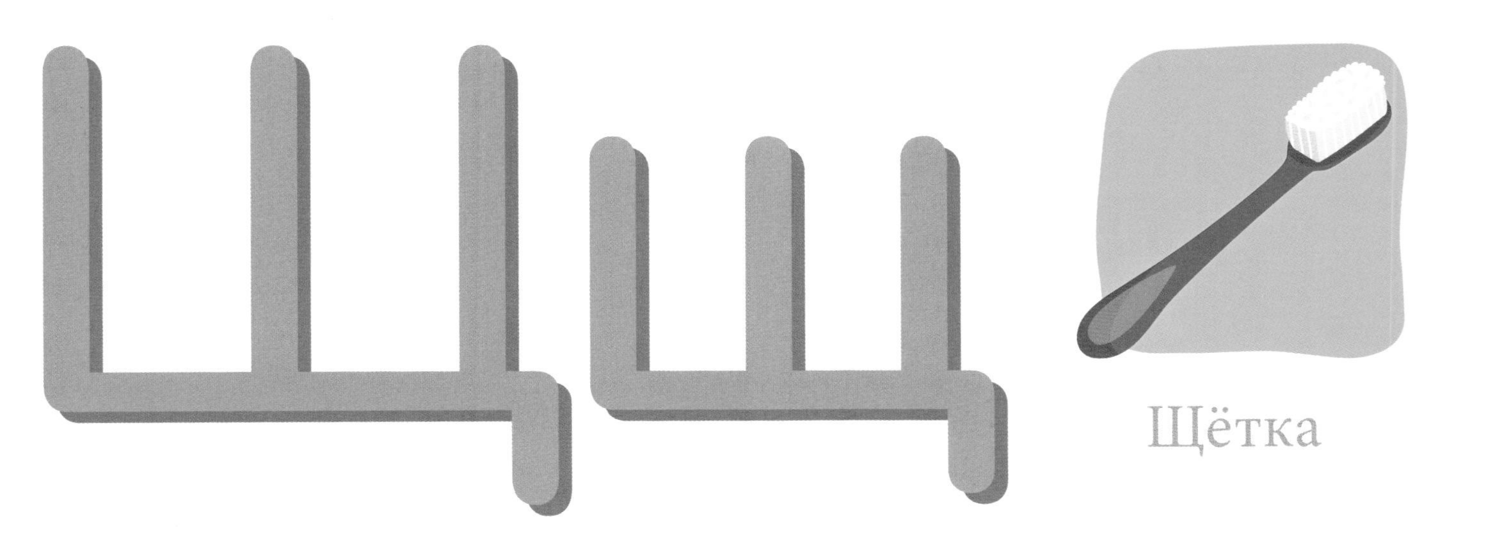

Щщщщщ.

Щи.

Эскимо

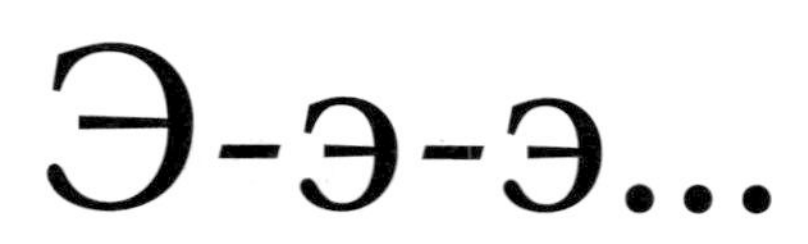

Э-э-э...

Эх!

Ээ

Эй!

Эх! Он на юг!

Чу!

Шшшшш.

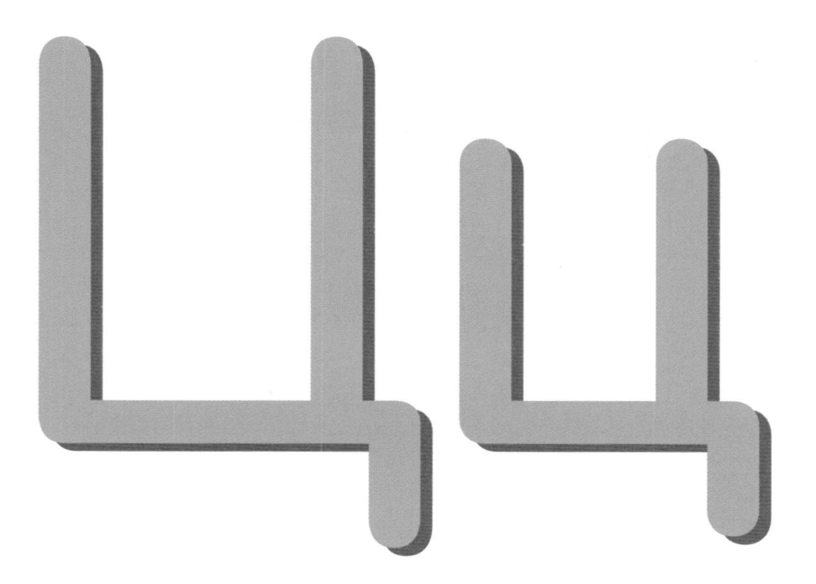

Цапля

Ц-ц-ц!

Чччч.

Он юн. Юг. Эй!

Щи. Эх! Он на юг!

Ц-ц-ц! Эх! Чччч.

Я юн. Чу! Шшшш.

Фф

Фонтан

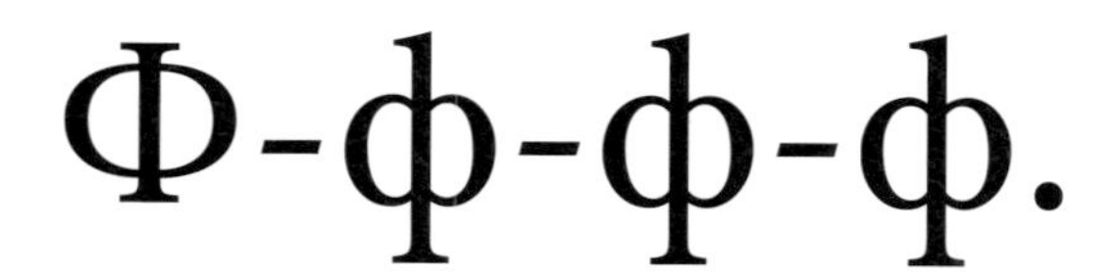

Ф-ф-ф-ф.

Уф!

— Ав?
— Ав!

Да!
Вы — ас!

О? Вы?

Эй! Уррр.

Жу-жу-жу! Ау! Им!

Бу-бу-бу. Он? Ус.

Эх! Я и он! Ух!

Уф! Уррр. Уж и ёж.

Уа! О! Ко-ко-ко?

Ку-ку! Шу-шу-шу!

Щи. Га-га-га! Ма!

Ча-ча-ча! Я! Я?

Шшшш. Он и я.

Му-у-у! Да! Ем!

Ах! А-а! Я.

Мы и он. А-а!

Ей и им! И-и?

Бу-бу-бу. Юг.

Я и он? На!

Фу! Ты юн!

Ля-ля-ля. Да! О-о?

Иа! Мы? До.

Да? Ав! Им?

ТАКЖЕ В СЕРИИ:

С помощью **тетради-букваря** ваш малыш не только быстро и с удовольствием выучит буквы, но и с самого первого занятия научится читать, писать и выкладывать из кассы букв слова и мини-предложения.
Все слова в тетради-букваре также состоят из 1–2 букв.

Учимся правильно писать букву

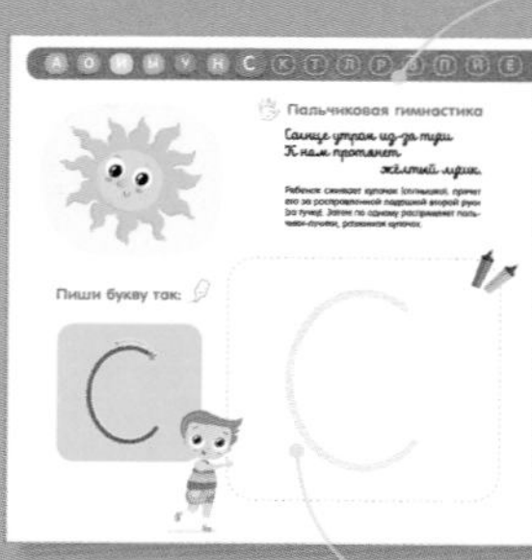

Читаем и пишем (обводим) пройденн буквы, сло и предлож ния

Знакомство с буквой

Работа с комплектом Букварь + Тетрадь-букварь делает методику гиперэффективной!!!

УДК 373.1:811.161.1
ББК 81.2Рус-922
У34

Учебное издание
Для чтения взрослыми детям

Иллюстрации *Евгении Васильевой*

Узорова, О. В.
У34 Букварь. Учимся читать с 2–3 лет / О. В. Узорова, Е. А. Нефёдова. — Москва: Клевер-Медиа-Групп, 2017. — [96] с.: ил. — *(Узорова. Дошкольное образование)*

ISBN 978-5-91982-652-1

Издательство Clever

Генеральный директор *Александр Альперович*
Главный редактор *Елена Измайлова*
Арт-директор *Лилу Рами*
Дизайнер *Юлия Кремс*
Ведущий редактор *Анна Штерн*
Корректор *Светлана Липовицкая*
В соответствии с ФЗ № 436 от 29.12.10 маркируется знаком 0+

Формат 60x90/8. Усл. печ. л. 12.
Подписано в печать 07.12.2016.
Дата изготовления: 01.2017.
Доп. тираж 5000 экз.

Издатель: ООО «Клевер-Медиа-Групп»
Почтовый адрес: 115054, г. Москва, ул. Пятницкая, д. 71/5, стр. 2
Юридический адрес: 129085, г. Москва, проезд Ольминского, д. 3а, стр. 3

Интернет-магазин: www.clever-media.ru

facebook.com/cleverbook.org
vk.com/clever_media_group
@cleverbook

Книги – наш хлѣбъ

Наша миссия: «Мы создаём мир идей для счастья взрослых и детей».

Отпечатано в соответствии с предоставленными материалами в Обществе с ограниченной ответственностью «ИПК Парето-Принт», 170546, Тверская область, Промышленная зона Боровлево-1, комплекс № 3А, Российская Федерация. www.pareto-print.ru. Заказ № 5901/17